LENOIR ET BLANC

ONT CARTE BLANCHE À NEW YORK

Écrit et illustré par
JÜRG OBRIST

Traduit et adapté de l'allemand par
SYLVIA GEHLERT

ACTES SUD JUNIOR

LENOIR ET BLANC
ONT CARTE BLANCHE
À NEW YORK

JÜRG OBRIST

Né en 1947, il vit à Zurich.
Après des études de photographie,
Jürg Obrist est devenu
illustrateur indépendant.
Il travaille pour l'édition
et la presse jeunesse.

Dans la même série :

Lenoir et Blanc en voient de toutes les couleurs
Lenoir et Blanc en voient des vertes et des pas mûres
Lenoir et Blanc font rire jaune
Lenoir et Blanc ne sont pas des bleus

Éditorial : François Martin
Direction artistique : Guillaume Berga
Maquette : Christelle Grossin

Titre original :
Pepper greift ein
© 2007 Deutscher Taschenbuch Verlag Gmbh & Co. KG, Munich, Allemagne

© Actes Sud, 2008
pour l'édition française
ISBN 978-2-7427-7415-9

Loi 49-956 du 16 juillet 1949
sur les publications destinées à la jeunesse.

WELCOME TO NEW YORK

Embarquement immédiat pour le vol Air France 1012 à destination de New York. Edgar Lenoir et Amandine Blanc s'installent à bord de l'Airbus et bouclent leurs ceintures. Ça y est, nos détectives vont enfin réaliser leur rêve et passer des vacances bien méritées outre-Atlantique. Chez Candy Barre, la cousine d'Edgar. Elle habite le Queens, un quartier de deux millions d'habitants, qui fait partie de la gigantesque agglomération de New York City.

L'avion a atteint sa vitesse de croisière de 860 kilomètres à l'heure. Altitude : 10 000 mètres. Le ciel est d'un bleu parfait. Assise près du hublot, Amandine voit défiler les côtes de l'Irlande. Puis c'est l'immense étendue de l'Atlantique, piquée, par-ci, par-là, de points minuscules : des cargos, des pétroliers.

Edgar est plongé dans son guide. Soudain, il s'esclaffe :

– Ça alors ! Tu sais comment les Américains appellent New York ? *The Big Apple*, la Grosse Pomme. Va savoir pourquoi.

– Pas de pomme sans pépins, dit songeusement Amandine, les yeux rivés sur la banquise du Groenland qui s'étend sous eux.

Candy Barre les attend à l'aéroport John-Kennedy. Perché sur son épaule, Pepper, son perroquet, les accueille en battant des ailes :

– *Hi*, I'm Pepper. Welcome to New York! Nice to meet you.* Content de vous rencontrer. *Do you speak English?* Vous parlez anglais ?

Et vous ? Avec Amandine et Edgar, vous allez vous y mettre. Il s'agira de résoudre trois énigmes époustouflantes. Alors *good luck*, bonne chance !

---

* Pour tous les mots et expressions en langue anglaise, vous pouvez vous reporter au glossaire en fin d'ouvrage.

DINGUES DE DONUTS

Que serait l'Amérique sans ses fameux *donuts*, ces beignets moelleux qui font le régal des petits et des grands ? De ces anneaux délicieux, il y en a autant de variétés que de pâtissiers inventifs, autant de parfums que de couleurs, et toutes les occasions sont propices pour s'offrir une petite pause douceur en leur compagnie.

Si l'amour des *donuts* unit tous les habitants, il n'y a donc aucune raison pour que de mauvais sujets ne le partagent pas. Ainsi, un duo de voleurs redoutablement gourmands s'est mis à dévaliser récemment les pâtisseries new-yorkaises. Et pas n'importe lesquelles ! Les deux braqueurs sont de fins connaisseurs, qui réservent leurs casses aux meilleures adresses de la ville.

Il se trouve que Candy Barre habite à quelques pâtés de maisons seulement de chez Pumpkin, le roi du *donut* du Queens. Le lendemain matin de leur arrivée, elle décide de faire une douce surprise à ses invités en les y emmenant. La surprise s'avère amère !

SUCRÉS, LES DONUTS !

Dans sa boutique, le pâtissier Pumpkin s'arrache ses rares cheveux. Les vendeurs regardent médusés les bacs à *donuts*. Edgar ne comprend pas leur air affligé.

– À leur place, je me réjouirais de voir ma marchandise partie dès le matin ! Ça prouve qu'elle est recherchée pour sa qualité.

– On peut le dire, soupire Candy, puis elle explique à Amandine et Edgar ce qui vient d'arriver au pauvre Pumpkin.

En effet, sa pâtisserie a été visitée peu avant l'ouverture alors qu'il prenait le petit déjeuner avec ses employés dans l'arrière-boutique. Pour Pumpkin, il n'y a pas l'ombre d'un doute : c'est l'œuvre de Guy Move et Bob Olgom, des cambrioleurs fous de *donuts*. D'une main tremblante, il tire de sa poche la photo des deux lascars, arrachée à une page de journal où figure aussi leur signalement. Guy Move, grand et maigre comme un clou, et Bob Olgom, rond comme une bille, sont recherchés par la police pour une série de vols avec effraction. Leur cible : les marchands de *donuts* haut de gamme – à raison de deux à trois boutiques par semaine !

– Ce sont des pros, déclare Amandine en désignant la caméra de surveillance dont l'objectif est obturé par une bande adhésive.

– Avec un goût prononcé pour les sucreries, me semble-t-il, fait remarquer son collègue.

—————— QUESTION ——————
Qu'est-ce qui a attiré l'attention d'Edgar ?

CHERCHEURS D'OR

En bonne détective, Amandine ne s'arrête pas aux suppositions, il lui faut des preuves.

– Pour l'instant, rien ne nous permet d'affirmer que les coupables sont effectivement Guy Move et Bob Olgom. Candy, demande à Paul Pumpkin si nous pouvons jeter un coup d'œil dans son fournil.

Candy présente Edgar et Amandine à Pumpkin, qui est enchanté.

– *Please, go ahead,* je vous en prie, allez-y, les invite-t-il.

Le fournil a été mis à mal. Tiroirs fouillés, vaisselle brisée, ingrédients éparpillés, poubelle renversée. Sur une chaise, une affichette.

– *FIND THE GOLDEN COIN,* lit Amandine. Qu'est-ce que ça signifie ?

– Trouvez la pièce d'or, traduit Candy. C'est une idée de Pumpkin. Tous les derniers samedis du mois, il cache une pièce d'or dans l'un de ses *donuts.* Je peux vous dire que ça marche très fort. Les gens viennent de loin pour…

– Mais justement ! s'exclame Edgar, soudain tout feu tout flamme, nous sommes le dernier samedi du mois ! Ceci explique cela.

Amandine le regarde, consternée. Edgar serait-il tombé sur la tête ? Des voleurs fous de friandises qui, de surcroît, n'hésiteraient pas à dévaliser une pâtisserie pour une simple pièce d'or ?

– C'est parfaitement ridicule, murmure-t-elle, mais Edgar l'arrête net.

– Et la preuve qu'il s'agit bien de Move et d'Olgom, la voici, jubile-t-il en brandissant la photo des deux. Cherche, Amandine, et tu trouveras !

—————————— QUESTION ——————————
Qu'est-ce qui prouve que le duo gourmand est passé chez Pumpkin ?

....

UNE HISTOIRE DE TAILLES

En empochant la pièce à conviction, Edgar remarque un stylo à bille dans un coin de la pièce. Il le tend à Pumpkin, Candy lui vient en aide :

– *Is this yours?* demande-t-elle au pâtissier, c'est à vous ?

– *No,* dit Pumpkin.

Même chose pour ses employés.

– *Church Street,* lit Amandine. Je suppose que c'est le nom de la rue. Et *Chinese laundry,* c'est un débit de *donuts* chinois ?

– Pas tout à fait, glousse Candy. C'est bien chinois, mais c'est une blanchisserie. Son propriétaire s'appelle Wa Shing. Allons le voir !

Dans la minuscule boutique règne une chaleur étouffante. Soigneusement pliées et emballées, des piles de chemises remplissent les étagères, des rangées de vestes tout juste repassées pendent des cintres. Chaque vêtement comporte une étiquette avec les initiales de son propriétaire.

Au monsieur derrière le comptoir, Candy décrit les deux hommes : l'un grand et maigre, l'autre petit et dodu. Il réfléchit tout en répétant :

– *One of them is tall and skinny, the other small and plump,* humm…

Puis son visage s'illumine. Oui, dit-il, une vieille dame lui apporte régulièrement des chemises par deux, les tailles correspondent à la description. Elle s'appelle Clara Mail et, s'il se souvient bien, c'est la grand-mère de l'un des deux messieurs que lui n'a jamais vus. L'adresse de sa cliente ? 537 Grand Avenue. Amandine n'écoute que d'une oreille.

– Bingo ! j'ai trouvé ! s'écrie-t-elle soudain. C'est bien eux !

―――――――――――― QUESTION ――――――――――――
Qu'a découvert Amandine pour être aussi sûre de son fait ?

BOB C'EST ROBERT POUR SA GRAND-MÈRE

Clara Mail habite au 18ᵉ étage. En l'apprenant, Edgar serre les dents. Il déteste les ascenseurs. Amandine le prend discrètement par la main et l'entraîne dans la cabine. Pas assez discrètement pour que Candy ne s'en aperçoive et s'en réjouisse. Son cousin, elle l'aime tendrement. Enfants, ils passaient leurs vacances ensemble. Il la faisait rire avec les histoires qu'il inventait, elle le faisait grimper aux arbres les plus hauts pour lui faire passer la peur du vide. Complicité et confiance. Très sympathique, cette Amandine, se dit la cousine, elle a tout compris.

Une vieille dame charmante leur ouvre la porte. Un peu mal à l'aise, Candy lui déclare qu'ils sont des amis de son petit-fils. Sans pourtant prononcer de nom car ça peut aussi bien être Move que Olgom.

– *Oh, you mean my grandson Robert,* sourit la vieille dame en les priant d'entrer : *Please come in.*

En apercevant Pepper, niché dans la veste de Candy, elle s'effraie.

– *Don't be afraid,* n'ayez pas peur, la rassure Candy.

– *Please sit down,* dit Clara Mail, et pendant qu'ils s'assoient, elle court dans la cuisine d'où elle revient avec du café et un bol de noisettes.

Puis elle raconte. Non, son petit-fils n'habite plus avec elle. Il a pris un appartement avec un collègue. Elle leur fait le ménage, s'occupe du linge. Ce sont de braves garçons, *they are nice boys,* dit-elle.

– *What's their address?* demande Candy.

– 87 East 117th Street, dit la grand-mère modèle.

────────── QUESTION ──────────
À quel endroit habitent les deux supects ?

UN COUP RÉUSSI

Candy connaît la ville comme sa poche, ce qui lui permet d'éviter les embouteillages. Arrivés à destination, ils se retrouvent dans une rue sinistre, bordée d'immeubles délabrés. À l'adresse fournie par Clara Mail, pas de plaques indiquant les noms des habitants. Un voisin à la retraite les emmène à l'appartement de Bob Olgom et de son complice. Edgar sonne. Personne. Le voisin montre deux garages au fond de la cour :
– *That's their garage over there on the left, but I think it's closed.*
Il a raison, le garage de gauche est fermé. À l'arrière, Amandine découvre une vitre cassée. C'est alors que Pepper entre en action. Il s'introduit dans le garage et, d'un puissant coup de bec, fait sauter le verrou de la porte. À l'intérieur, un désordre sans nom. Aucune trace des *donuts* de chez Pumpkin. Le voisin est au fait des habitudes des deux hommes. Deux à trois fois par semaine, ils arrivent au petit matin avec une camionnette remplie de grosses boîtes, traduit Candy. Ils la déchargent, puis reviennent reprendre les boîtes dans l'après-midi.
– Ils sont passés pas plus tard que tout à l'heure, déclare Amandine.

QUESTION

Qu'est-ce qui n'a pas échappé à l'œil de lynx d'Amandine ?

. . . .

DES LETTRES QUI EN DISENT LONG

Depuis leur voiture, garée près du carrefour, Edgar, Amandine et Candy guettent le retour de la camionnette des voleurs. Le voisin la leur a décrite dans les moindres détails. Une heure passe, le soleil commence à taper. Pepper somnole la tête enfoncée dans son plumage. Edgar pique du nez.

– Les voilà ! s'écrient soudain Candy et Amandine en chœur.

Tout se passe alors comme le voisin le leur avait dit. Olgom et Move montent à l'appartement, en ressortent les bras chargés de boîtes qu'ils fourrent dans la camionnette. La dernière boîte chargée, ils redémarrent en trombe. Candy met les gaz, c'est parti pour la course poursuite !

Ils s'engagent sur la voie express. Se tenant prudemment sur la voie de droite, ils roulent à vive allure pendant un bon bout de temps.

– Si je ne me trompe pas, dit Candy, ils vont à Coney Island. C'est un grand parc d'attractions au bord de l'océan, vous verrez.

Effectivement, la camionnette en prend le chemin et entre dans le parc. Par chance, Candy trouve rapidement une place sur le parking. La poursuite reprend, cette fois-ci à pied. Une foule immense de visiteurs se presse dans les allées, obligeant la camionnette à rouler au pas. Pas facile cependant de ne pas la perdre de vue au milieu des stands d'où se dégagent des odeurs appétissantes. Tout à coup, Amandine s'arrête. Edgar suit son regard pour fondre, lui aussi aussitôt, sur un étal de hot-dogs croustillants. La faim les tenaille, ils n'ont encore rien mangé de la journée. La faute à qui ?

– Les voilà ! chuchote Candy, regardez, ils garent leur camionnette !
Leur véhicule à peine garé, Guy Move et Bob Olgom se mettent à le transformer pour en faire un…
– Ça alors ! ils ont le sens des affaires, ces deux-là, murmure Edgar en voyant Guy Move fixer sur la camionnette les grossses lettres que lui tend Bob Olgom.

QUESTION

Quel est le mot qui manque à l'inscription ?

....

DANS LA MIRE DU PERROQUET

C'est le moment ou jamais de faire parler les voleurs. Edgar s'approche.
– *Three chocolate donuts, please!* demande-t-il.
Move va pour ouvrir l'une des boîtes, alors Edgar enfonce le clou :
– *Are those Pumpkin donuts by any chance?*
Move blêmit, Olgom fait les yeux ronds et feint de ne pas comprendre :
– *Pumpkin donuts? What do you mean? I don't understand.*
Devant la mine sceptique d'Edgar, Olgom s'offusque, lâchant un flot de mots dont Edgar ne comprend que le dernier : *goodbye*, au revoir.
Le message est clair, inutile d'insister. Mieux vaudra changer de tactique et observer le duo en secret. Or, dès qu'Edgar, Amandine et Candy ont tourné les talons, Move et Olgom se dépêchent de refermer la camionnette. L'abandonnant sur place, ils plongent dans la foule.

– Adieu, veaux, vaches et *donuts* ! se morfond Edgar.

– Chut ! fait Amandine. Tu entends ?

Edgar tend l'oreille, puis lève les yeux au ciel. Pepper ! À quelque distance, le perroquet fait du vol sur place en poussant des cris stridents.

– Pas si pépère, notre Pepper, sourit Amandine. Je crois bien qu'il les a repérés.

—————— QUESTION ——————

Où Pepper a-t-il dépisté les fugitifs ?

21

UN MESSAGE BROUILLÉ

Avec de nombreux *Excuse me!* et *Sorry!*, Edgar et Amandine se fraient un chemin jusqu'à l'attraction où se sont réfugiés les voleurs.

– Ça s'appelle un *roller-coaster*, dit Amandine, je me souviens. Il y avait toute une leçon là-dessus dans mon livre d'anglais de cinquième. J'avais adoré. Tu veux que je te récite le dialogue ? Je crois que je le sais encore par cœur.

Edgar trépigne. Non, ce n'est pas vraiment le moment. À bord de leur voiture, Move et Olgom entament les dernières boucles de leur parcours. Pas question de les laisser s'échapper une nouvelle fois. Il saisit Amandine par le bras et l'entraîne avec lui.

– Viens vite ! On va les cueillir à l'arrivée ! Cette fois-ci, on les tient !
Or, à malin, malin et demi. Se doutant bien du piège qui les attend, les
deux voleurs agissent sans tarder. Du haut du mât d'un chapiteau voisin,
Pepper les voit faire et lance aussitôt l'alerte.
Bloqués par la foule qui leur barre la vue, Amandine et Edgar essaient
de comprendre ce qu'il crie. Malheureusement, le message du perroquet
ne leur parvient que par bribes. Au secours ! Aidez-les à le reconstituer !

─────────────── QUESTION ───────────────
Sur quoi Pepper essaie-t-il d'attirer l'attention des deux détectives ?

. . . .

9

HELL!

Trop tard ? Pas tout à fait. Grâce à la tête hirsute de Guy Move qui dépasse de la foule, Amandine et Edgar réussissent à suivre le duo. Les deux hommes sautent dans une voiture du train fantôme.

– Ils appellent ça *The haunted house*, la maison hantée, explique Amandine, c'est presque comme chez nous. Vas-y, monte !
Avec un grincement lugubre, le portail se referme sur Edgar et Amandine. Dans l'obscurité profonde, leur voiture démarre en trombe. Aussitôt, des voix menaçantes se mettent à hurler, des silhouettes effrayantes défilent dans des éclairs. Des virages abrupts à n'en pas finir leur font perdre tout sens de l'orientation. Puis, brusquement, dans un gémissement de roues, un tremblement parcourant sa carcasse, le véhicule hoquette, ralentit et s'arrête.

– Moi, dit Edgar, les trains fantômes, j'adore depuis toujours. Quand on était petits, j'y emmenais Candy. Tu n'imagines pas la frousse…

Le claquement d'une porte en fer, le bruit d'une clé tournée dans une serrure, des ricanements se perdant au lointain l'interrompent aussi sec.

– Olgom et Move nous ont piégés comme des rats, peste Amandine en secouant les barres de la porte. *Help!* Au secours !

À vous de libérer vos camarades détectives. Pour cela, il vous suffit de comparer les bruits qu'ils ont entendus pendant leur trajet avec le plan de la maison hantée. Courage, vous y arriverez !

─────── QUESTION ───────
Où Move et Olgom ont-ils enfermé Amandine et Edgar ?

DES ÉTOILES EN PLEIN JOUR

Thank you very much, merci beaucoup ! C'est grâce à vos indications qu'Amandine et Edgar ont pu être libérés par les employés du train fantôme. Hélas, pas de trace des deux voleurs. Candy, qui était restée près de la camionnette pour l'observer, en aurait-elle des nouvelles ? Edgar et Amandine la rejoignent. Candy est toujours là, mais pas la camionnette !
– Olgom et Move sont venus la reprendre, il y a dix minutes à peine. Ils avaient l'air nerveux. *"Let's take the stuff to my grandma's place",* j'ai entendu dire Olgom.
– Si j'ai bien compris, dit Amandine, il a proposé d'emporter la marchandise chez sa grand-mère. En voiture, tout le monde ! On va leur faire une visite surprise à tous les trois.
La circulation est encore plus dense qu'à l'aller. En arrivant à la 10ᵉ avenue, complètement embouteillée, Candy décide de laisser sa voiture dans un parking aérien. Du dernier étage, Edgar et Amandine scrutent le carrefour encombré. Avec succès !

——————— QUESTION ———————
Qu'est-ce que nos deux détectives viennent de découvrir ?

. . . .

UNE GRAND-MÈRE
DANS SES PETITS SOULIERS

Peu après, Edgar, Candy et Amandine sonnent chez Clara Mail qui tombe des nues en les apercevant. Son visage se rembrunit.

– *Is there something wrong with my grandson?* demande-t-elle.

Edgar se tourne vers Candy :

– Elle veut savoir s'il y a un problème avec son petit-fils, c'est ça ?

Candy fait oui de la tête, puis elle lui glisse :

– Je vais lui demander si elle a une idée de l'endroit où il peut bien être. *Do you have any idea where your grandson might be?*

– *N-n-no, I've no idea, but please come in!*

D'une main tremblante, la vieille dame leur fait signe d'entrer. Elle propose de leur préparer du café, ils acceptent avec joie. Elle regrette de ne pas pouvoir leur offrir quelques petits gâteaux. Elle ne supporte pas le sucre, dit-elle. Là-dessus, elle disparaît dans la cuisine.

Edgar et Amandine se consultent du regard. Clara Mail leur cache quelque chose. Quelqu'un la forcerait-il à le faire ? Olgom et Move se trouvent-ils chez elle ? Pour en avoir le cœur net, il faudra s'armer de patience.

Pendant que Candy et Amandine s'attaquent à un jeu de lettres, Edgar inspecte discrètement le salon. Tout à coup, il tient la preuve de la présence des deux voleurs. Il se penche à l'oreille d'Amandine.

– C'est amusant ! glousse-t-elle. Si tu remplis la grille avec les noms des objets illustrés et que tu assembles ensuite les lettres des cases grises, tu obtiens le mot qui désigne ce que tu viens de trouver.

————QUESTION————
Quel est le mot de la solution ?

QUAND CLARA MAIL S'EN MÊLE

Inutile d'attendre davantage, Clara Mail ne parlera pas. À moins que…

– *Thank you very much for the coffee,* la remercie Edgar haut et fort.

La vieille dame raccompagne ses trois visiteurs. Elle semble hésiter.

– *Thank you and goodbye!* lui dit Amandine non moins haut et fort.

Edgar ouvre la porte d'entrée puis la referme bruyamment – de l'intérieur ! Immobiles, tous tendent l'oreille. Soudain, un ronronnement de moteur leur parvient. Edgar court vers la pièce au fond du couloir. Elle est fermée à clé. Il frappe à la porte, le bruit s'arrête aussitôt. C'est alors que Clara Mail laisse éclater toute la colère d'une grand-mère menée en bateau par son lascar de petit-fils.

– Robert ! ordonne-t-elle. *Open the door immediately!*

La clé tourne dans la serrure, Edgar pousse la porte. En l'apercevant, Bob Olgom manque de s'étouffer avec son *donut* et Guy Move change de couleur. Amandine s'approche d'Olgom et prend le *donut* qui se trouve dans la boîte à côté de lui. Elle y mord à belles dents, pousse un cri, puis brandit une pièce d'or. Candy désigne un curieux objet gisant dans un coin. Il ressemble à une poêle à frire pourvue d'un long manche.

– Un détecteur de métal, dit-elle, comme on en voit sur les plages. Voilà ce qui explique le bruit qu'on a entendu tout à l'heure. J'ai alerté la police. Fini, les vols de *donuts,* ceux de chez Pumpkin compris.

– Vous n'avez aucune preuve contre nous, s'égosille Bob Olgom.

– *Stop it,* Robert ! Arrête ! lui intime sa grand-mère indignée.

———QUESTION———

Qu'est-ce que Clara Mail a aperçu dans le chaos de la pièce ?

SPY EYE :
LA MENACE DE L'ŒIL ESPION

Le professeur Archie Maid de l'université de San Francisco a tout lieu de se réjouir. En effet, l'éminent inventeur vient de mettre la dernière main à sa nouvelle création, *Spy Eye*. Il s'agit d'une caméra à rayons X qui permet de voir à travers les murs. L'appareil a bien entendu suscité l'intérêt de la police new-yorkaise qui voudrait l'utiliser dans sa chasse au crime organisé. Invité à faire une présentation de *Spy Eye* aux autorités policières, le professeur se rend à New York.

Arrivé à l'aéroport John-Kennedy, Archie Maid prend un taxi qui doit l'emmener à Manhattan. Une chambre avec vue sur Central Park est réservée pour lui à l'hôtel Majestic. Il pourra y déposer son sac de voyage et se rafraîchir un peu avant d'aller à son rendez-vous.

Sa rencontre avec les chefs de l'antibanditisme a été préparée dans le plus grand secret. Malgré cela, les caïds de la ville ont eu vent de l'invention d'Archie Maid et la convoitent. À eux aussi, tout comme à la police, *Spy Eye* pourrait rendre de précieux services...

PUZZLE À MANHATTAN

L'île de Manhattan est le quartier le plus ancien de New York ; c'est aussi le plus célèbre. Au milieu de cette forêt de gratte-ciel, quadrillée par des avenues et des rues qui s'entrecroisent à angle droit, s'étend une oasis de détente immense : Central Park.

En sortant du parc, Candy, Edgar et Amandine sont bousculés par trois hommes et une femme qui s'y précipitent, l'un d'eux portant une valise à la main. Puis, dans un bruit infernal de freins et de klaxons, ils aperçoivent un petit monsieur se faufilant entre les voitures dans la rue devant eux et criant au secours :

– *Help! My suitcase! They've taken my suitcase!*

C'est Archie Maid, on l'aura compris. Après avoir repris son souffle, il se présente et raconte sa mésaventure. Alors qu'il descendait du taxi devant son hôtel, des inconnus se sont rués sur la valise contenant son invention.

– *Follow me!* Suivez-moi ! décrète Candy, on va au commissariat.

L'officier de police Jim Spektor les reçoit. En physionomistes expérimentés, Amandine et Edgar lui décrivent les quatre suspects. Spektor parcourt son fichier, sa moustache se trémousse :

– *My compliments!* dit-il. Mes compliments ! *Look!* Regardez !

QUESTION

Comment s'appellent les quatre personnes qu'indique le policier ?

....

TRACKBOY TRAQUERA-T-IL SPY EYE ?

– *The Digitals!* s'exclame Spektor, heureux d'avoir retrouvé la trace du redoutable quatuor qui nargue la police depuis un certain temps.

Les quatre malfaiteurs, explique-t-il, se sont spécialisés dans le vol de matériel informatique sophistiqué qu'ils mettent ensuite à leur service. Pour désactiver des alarmes et faire craquer des codes secrets. Leur cible préférée : les bijouteries de luxe et les diamants…

– *I don't care about diamonds,* dit le professeur Archie Maid, qui se fiche des pierres précieuses, *I want my Spy Eye back. Look!*

Les autres le regardent sortir de sa poche un petit récepteur muni d'un écran. Ce *Trackboy,* explique Archie Maid, reçoit les signaux de *Spy Eye* quand il est en activité et permet ainsi de le localiser. Hélas ! l'écran est vide, *Spy Eye* n'envoie aucun signal.

Jusqu'au lendemain matin. Le téléphone sonne chez Candy alors qu'elle déguste avec Edgar et Amandine de délicieux *donuts* de chez Pumpkin.

– Rendez-vous au port, le professeur nous attend. *Trackboy* a localisé *Spy Eye* !

Ils s'engouffrent dans le *subway,* le métro new-yorkais, pour débarquer dans le port où les accueille Archie Maid. Guidés par son *Trackboy,* ils avancent au milieu des cargos. Le professeur s'arrête, consulte l'écran :

– *We are here,* nous sommes ici, dit-il, *and the Digitals are there.*

– Et si les *Digitals* sont là, poursuit Amandine, on n'a plus qu'à monter sur le bateau où ils se trouvent avec *Spy Eye.*

QUESTION

Sur quel bateau faudra-t-il monter ?

UN BATEAU LOUCHE QUI FAIT MOUCHE

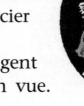

Par l'une des passerelles de l'*America,* Edgar, Amandine et le professeur montent à bord. Candy reste en bas, son portable à la main, prête à avertir l'officier de police Spektor.

– Bizarre, bizarre, murmure Edgar alors qu'ils longent le pont, pas un seul membre de l'équipage en vue. Ça te dit quoi, Amandine ?

– Rien qui vaille. Soyons vigilants et veillons sur le professeur !

Archie Maid a l'œil braqué sur l'écran de son *Trackboy* et l'oreille à l'affût des signaux de *Spy Eye*. Or soudain, l'écran se brouille et les signaux s'estompent. Maid montre un escalier qui descend au pont inférieur.

– *They must be in there,* ils doivent être là-dedans, dit-il à voix basse.

Une fois descendus au pont inférieur, Amandine, Edgar et le professeur doivent se rendre à l'évidence. Les *Digitals* sont bien passés par là, mais ils ont levé les voiles. La cabine du capitaine est sens dessus dessous. Le code secret du coffre-fort a été forcé. L'intérieur est vide. Sur la porte, les *Digitals* ont laissé un message. Edgar lit et traduit :

– Ceci est juste un test. Nous aimons les diamants. À bientôt !

Archie Maid voit rouge. Son *Spy Eye* au service de ces crapules ?

– *Never!* Jamais ! rugit-il. *I count on you,* je compte sur vous.

Les deux détectives l'assurent de leur aide. Ils viennent de découvrir quelle marchandise l'*America* avait à bord – à part le caviar, la soie et les parfums.

---QUESTION---

Où les *Digitals* vont-ils frapper leur prochain coup ?

4

TOUT EST DANS LE DÉTAIL

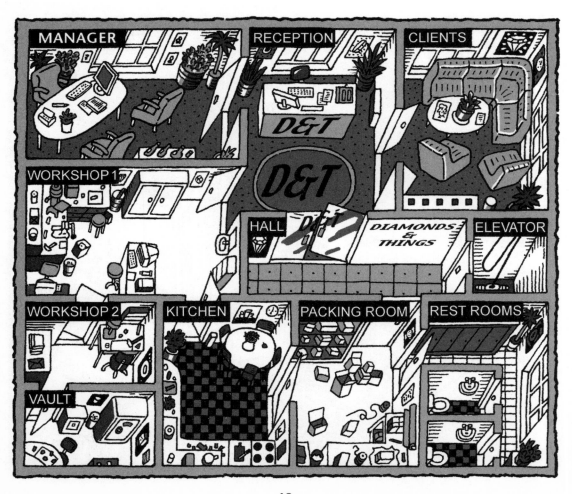

*S*ee *you later* avaient annoncé les *Digitals* dans leur message, et ils tiennent parole. Le lendemain à l'aube, un coup de téléphone du professeur tire Candy de son sommeil. *Trackboy* signale la présence de *Spy Eye* au 38ᵉ étage d'un immeuble de la 57ᵉ rue. Il ne s'agit ni plus ni moins que du siège de la prestigieuse entreprise *Diamonds & Things* !

– *Hurry up!* Dépêchez-vous ! implore Archie Maid. *And don't forget to bring the parrot with you!*

Candy promet au professeur d'emmener son perroquet comme il le lui a demandé. Elle réveille Edgar et Amandine, et ils se mettent en route. Archie Maid les attend déjà devant l'immeuble de la 57ᵉ rue.

– *That's for you, my boy*, dit-il à Pepper, en le coiffant d'une minuscule caméra. *38th floor, Diamonds & Things. Hurry up!*

Pepper s'envole. Au 38ᵉ étage il se glisse par un trou d'aération dans les locaux de l'entreprise. Dans ses ateliers, elle fabrique des joyaux et des montres de haute valeur qui sont ensuite revendus à des bijouteries.

Tout est calme, les employés ne sont pas encore arrivés. Tantôt volant, tantôt sautillant sur ses pattes, Pepper traverse les pièces. Sur l'écran de *Trackboy*, Archie Maid et ses aides suivent jusqu'aux moindres détails les images que leur transmet sa petite caméra. Plus que jamais, Edgar et Amandine ont besoin de votre coup d'œil d'expert. Vite, renseignez-les !

QUESTION

Dans quelles pièces se trouvent les détails enregistrés par la caméra ?
À quel endroit Pepper a-t-il repéré des mouvements suspects ?

....

1 A plant in the corner.
2 A box on the table.
3 A big sofa.
4 A table with chairs.
5 A trash can.
6 A work table.
7 The front desk.
8 A tile floor.
9 Oh, there they are!

L'ESPRIT D'ESCALIER

Suivis du professeur, nos deux détectives se précipitent dans le hall d'entrée de l'immeuble.

– *Good morning, madam, good morning, gentlemen!* les salue le réceptionniste. *May I ask your names, please?*

Il inscrit leurs noms sur le registre ainsi que celui de l'entreprise à laquelle ils souhaitent rendre visite. Il compose le numéro de téléphone de *Diamonds & Things*, puis il raccroche avec un air de regret. Occupé !

– *I'm sorry, but the line is busy. The elevator is over there.*

Pour mieux pouvoir surprendre les *Digitals*, Edgar, Amandine et Archie Maid décident de se passer de l'ascenseur qu'il leur indique et de monter par l'escalier. Trente-huit étages ! L'ascension est rude, la déception qui les attend au moins autant. Hélas, une fois de plus, ils arrivent après la bataille !

– *Too late again!* s'exclame le professeur. *Look, they've escaped!*

Eh oui, trop tard, les *Digitals* se sont échappés. Ils ont pris la poudre d'escampette – ou, plutôt, l'hélicoptère ! Sous les yeux ahuris de l'assistance, l'appareil exécute un passage triomphal devant la fenêtre.

– De vrais pros, soupire Edgar. Pendant que nous nous escrimions dans l'escalier, ils sont montés jusqu'au toit où les attendait l'hélicoptère. Reste à savoir comment ils ont eu vent de notre visite.

QUESTION

Par quel moyen les malfaiteurs ont-ils été avertis ?

À BOIRE ET À MANGER

Comme on pouvait s'y attendre, les *Digitals* ont vidé le coffre-fort de chez *Diamonds & Things* de son contenu. Quant aux innombrables écrins et étuis qui renfermaient les bijoux, les montres et les diamants bruts, ils les ont abandonnés pêle-mêle sur le sol. Amandine traduit les inscriptions :

– Perles géantes, broches en diamant, bagues en or, alliances, montres suisses, bijoux d'Asie, *et cætera*. Il y a un peu de tout.

– Disons plutôt : il y avait, rétorque Edgar, piqué au vif par le message narquois des *Digitals*. Va savoir où ils ont emporté leur butin. Mais qu'est-ce qu'il t'arrive, Amandine ?

– *What's the matter, Amandine?* demande à son tour le professeur.

– *Look at that!* dit-elle en leur montrant sa trouvaille.

Archie Maid et Edgar la félicitent. En effet, ça pourrait être une piste !

──────── QUESTION ────────

Par mégarde, les *Digitals* ont laissé une trace. Où mène-t-elle ?

QUESTION D'HEURE

Cap sur Brooklyn, un autre quartier de New York City ! Il compte deux millions et demi d'habitants. Il est relié à Manhattan par des tunnels et le Brooklyn Bridge, le fameux pont métallique qui enjambe l'East River. Candy demande à parler à Joe, le propriétaire du restaurant.

– *The boss is on vacation*, répond le serveur, le patron est en vacances.

Candy insiste. Les *Digitals* sont-ils des clients de la maison ?

– *Sorry, madam, I don't know, I'm new here*, explique le serveur.

Il ne sait pas parce qu'il est nouveau ici, résume Edgar, dépité.

Amandine sauve la situation. Elle propose de cacher Pepper avec sa mini-caméra derrière un pot de fleurs et d'attendre dehors.

– *Excellent idea!* approuve Archie Maid en allumant son *Trackboy*.

Tout le monde s'embusque – juste à temps ! Sur l'écran s'affichent trois hommes en costume sombre et cravate rouge franchissant le seuil du restaurant. Les *Digitals* ! Mais où est la quatrième larronne, la dénommée Sue ? Edgar veut consulter sa montre et se rend compte qu'il l'a oubliée chez Candy. Toutes les horloges du restaurant indiquent une heure différente.

─────────── **QUESTION** ───────────

À votre avis, quelle horloge donne forcément l'heure exacte ?

IL NE FAUT PAS FORCER SUR LA COULEUR

Les trois hommes à la cravate rouge s'attablent et passent commande. Le serveur leur apporte des hamburgers taille royale, *king size*. Ils y touchent à peine. La mine sombre, ils gardent l'œil fixé sur la porte d'entrée.

– *Where is Sue?* demande le professeur, ne voyant pas leur complice.

C'est probablement ce que les trois se demandent, eux aussi. Ils payent en vitesse et quittent le restaurant. Les deux détectives, Candy et le professeur les suivent à quelque distance. C'est la fête annuelle des rues, il y a un monde fou. Tout à coup, Edgar aperçoit dans la foule une femme qui ressemble étrangement à Sue – sauf qu'elle a les cheveux blonds et non pas noirs comme sur la photo du commissariat. Une perruque pour ne pas se faire reconnaître ? Candy veut en avoir le cœur net :

– Sue vous connaît, elle vous a vus dans le hall de l'immeuble de *Diamonds & Things*, mais pas moi. Je vais en profiter pour essayer de lui tirer les vers du nez.

Là-dessus, elle prend un air affligé et se dirige vers la blonde.

– *Excuse me, can you help me? I'm looking for three men…*

Candy décrit les trois hommes qu'elle prétend rechercher en mentionnant qu'ils portent des costumes sombres et qu'ils sont cravatés.

– *Sorry, I can't help you,* rétorque froidement la fausse inconnue. *I haven't seen any men with red ties. Bye, bye! I'm in a hurry!*

Et effectivement, elle est très pressée de disparaître parmi les passants.

– Ça ne peut être que Sue, sourit Candy. Vous êtes bien d'accord ?

—————QUESTION—————
Qu'est-ce qui a trahi la femme pressée ?

DU PORTE À PORTE

Oui, la fausse blonde est bel et bien Sue ! Les quatre amis s'attachent à ses talons aiguilles qui claquent sur le pavé. Ils la voient courir vers trois hommes qui portent chacun une cravate rouge. C'est alors qu'Archie Maid se fige, comme frappé par la foudre.

– *My Trackboy,* s'écrie-t-il, *I've lost my Trackboy!*

Tant pis pour le *Trackboy* perdu. Pour le moment, c'est avant tout la trace des *Digitals* qu'il s'agit de ne pas perdre ! Dans le ciel, Pepper bat des ailes en lançant son cri d'alarme. Candy comprend le message et se précipite vers la station du *subway* où les voleurs viennent de s'engouffrer. Or, au lieu de monter dans la rame à l'arrêt, ils longent le quai au pas de course et disparaissent dans l'obscurité du tunnel.

– *Let's follow them!* Suivons-les ! propose Candy à ses compagnons.

C'est hautement dangereux. Un pas de travers, et ils risquent de s'électrocuter. À la lueur de l'éclairage de secours, ils avancent difficilement. Pas l'ombre des *Digitals* ! Tous les dix mètres, une porte en fer apparaît dans le mur, ils en comptent six au total. Toutes semblent solidement bouclées, toutes sont pourvues d'un panneau différent. Des avertissements sans doute. Après avoir lu les inscriptions, Candy conclut :

– Il n'y a qu'une seule porte par laquelle les *Digitals* ont pu s'enfuir.

– C'est exact, confirme Amandine, qui, faute de comprendre les inscriptions en anglais, s'est contentée de bien regarder les portes.

─────── **QUESTION** ───────

Laquelle des six portes a pu servir d'issue de secours aux fugitifs ?

....

UN COUVRE-CHEF SANS CHEF

Avant qu'Amandine ne puisse le retenir, Edgar appuie sur la poignée tout en donnant un coup de pied dans la porte. C'est un coup d'épée dans l'eau, car à l'exception d'une panoplie d'outils d'entretien, le local est vide. Tant mieux ! Amandine, qui n'a pas apprécié l'audace d'Edgar, respire. Qu'est-ce qui se serait passé s'ils étaient tombés nez à nez avec les *Digitals* ? L'idée la fait frémir après coup. Le rayon d'une lampe torche la fait sursauter. Spektor, que Candy avait appelé du quai du métro, est arrivé avec un collègue. Tous ensemble, ils s'engagent dans le dédale de tunnels, de couloirs, d'escaliers et de passerelles. Le vacarme des rames rend la communication difficile.

—————— QUESTION ——————
Que disent les poursuivants ?

Au fond d'un cul-de-sac, une autre porte en fer. Spektor dégaine son arme de service, son collègue fait sauter la serrure. La pièce a tout d'un entrepôt. Il n'y a personne à l'intérieur, mais la lumière est allumée.
– *Nobody,* constate Spektor, *but the light is on.*
– Qui a oublié d'éteindre ? dit Edgar. Les ouvriers ou bien...
Un cri perçant l'interrompt. Le perroquet a trouvé la réponse.

─────── QUESTION ───────
Qu'est-ce que Pepper vient d'apercevoir ?

SURPRISE, SURPRISE

Candy sort de son sac une poignée de cacahuètes que Pepper se met à picorer avec délice. Intrigués par la trouvaille du perroquet perspicace, Amandine, Edgar et les deux policiers commencent à fouiller le local. En moins de temps qu'il n'en faut à Pepper pour ingurgiter sa récompense, ils mettent au jour le mystère de l'entrepôt. C'est bien ici que les *Digitals* ont entreposé le butin de leurs larcins !

– *Diamonds!* s'exclame Edgar en dégageant une caisse en bois.

– *Jewelry!* dit Amandine en en ouvrant une autre.

– *And a lot of valuable watches,* constate Spektor devant la troisième.

Ce n'est pas tout. Son collègue brandit un agenda que les gangsters ont dû perdre dans leur précipitation.

– Joli programme ! explique Candy. Lundi prochain, ils projettent de faire un tour à la bijouterie *Glow & Shine.* Mercredi, Chuck a rendez-vous chez le dentiste, et vendredi, ils veulent visiter le musée de la Monnaie.

– Ce n'est pas tout de vouloir, commente Spektor, qui fait un bel effort pour s'exprimer en français. *Come on and let's get them!*

En suivant Amandine, il grimpe l'échelle en fer par laquelle les Digitals se sont enfuis. Les autres se dépêchent d'en faire autant. À l'exception d'Archie Maid qui, tout à coup, éclate de joie.

– *Look! Do you see what I see? What a nice surprise!*

———————— **QUESTION** ————————

Quelle est la bonne surprise dont se réjouit le professeur ?

EDGAR ET AMANDINE
ENTENDENT DES VOIX

Amandine pousse la trappe en haut de l'échelle. Elle donne accès à un couloir d'évacuation de secours qui aboutit à une autre station du *subway*.
De loin, elle voit les passagers sur le quai qui attendent le métro. Parmi eux, elle distingue quatre silhouettes familières !
– *There they are!* s'écrie-telle. *Let's get them before it's too late!* Dans un bruit assourdissant, le train entre dans la station. Sans se départir de son calme,

Spektor actionne son talkie-walkie. Les portes de la rame s'ouvrent pour laisser descendre et monter les voyageurs, puis elles se referment. De colère, Edgar serre les mâchoires, Amandine les poings. Or, à leur étonnement, la rame reste à quai, toutes portes bloquées. C'est Spektor qui en a donné l'ordre au centre de surveillance du *subway*. Par les fenêtres supérieures entrouvertes parviennent les voix des passagers enfermés qui s'impatientent. Les deux détectives tendent l'oreille et se sourient. Parmi les voix des voyageurs, ils viennent de reconnaître celles des quatre malfaiteurs.

—————————— QUESTION ——————————

La partie est finie, les *Digitals* l'ont compris. Que disent-ils ?

. . . .

BALLES PERDUES
POUR JACK NOODLE

Quel est le sport collectif qui, aux États-Unis, fait vibrer enfants et adultes, sur le terrain comme lors des retransmissions à la télé ? Quel est ce jeu si populaire où s'affrontent deux équipes de neuf joueurs, munis chacun d'une batte pour frapper la balle et d'un gant pour la saisir ? C'est le base-ball, vous l'aurez deviné. Tour à tour, chaque équipe attaque et défend, cela maintient le suspense à son comble.

Toutes les écoles, toutes les universités ont leur équipe de base-ball qu'on soutient et qu'on vient acclamer. Quant aux rencontres qui opposent les meilleures équipes professionnelles, elles remplissent les plus grands stades du pays.

Comme tous les sports, le base-ball a aussi ses vedettes. L'une d'elles est assurément Jack Noodle des *New York Bets*. Noodle compte parmi les plus grands champions de sa discipline. Aucun autre joueur ne réussit à envoyer la balle aussi loin que lui – et avec autant de précision. Ses fans attendent fébrilement sa performance lors des deux matchs de ce week-end. Le stade annonce complet. Grâce à ses relations amicales avec Joe Kerr, le président des *Bets*, Candy a pu obtenir trois places au dernier moment. Hélas, le match est une débâcle pour les New-Yorkais ! Jack Noodle n'a pas l'air dans son assiette, Candy n'en croit pas ses yeux. De leur côté, Amandine et Edgar ont l'étrange sentiment que quelque chose ne tourne pas rond.

C'est reparti pour une nouvelle enquête !

UN BATTEUR QUI MANQUE DE BATTANT

Dans le stade plein à craquer, les spectateurs attendent le début de la rencontre entre les *Bets* de New York et les *Blodgers* de Los Angeles. Les résultats du match d'aujourd'hui et de demain détermineront laquelle des deux équipes remportera le championnat de première ligue.

Les *Blodgers* se répartissent sur le terrain. Chaque joueur porte un gros gant en cuir pour lui permettre d'attraper la balle et de la renvoyer à un coéquipier. C'est au tour de Noodle de batter, ses supporters scandent son nom. Noodle lève la batte et frappe de toutes ses forces, mais au lieu de partir loin devant lui, la balle retombe dans son dos. Un murmure de stupeur parcourt les gradins. Noodle passe au deuxième essai : de nouveau, la balle atterrit hors du terrain. Le silence s'empare du stade où la tension ne cesse de monter. Noodle frappe pour la troisième fois. La balle s'élève mollement dans l'air pour se faire cueillir comme une pomme quelques mètres plus loin par l'un des *Blodgers*. Noodle est *out*, éliminé ; ses fans sont sous le choc – tout comme Candy.

– Mais qu'est-ce qu'il lui arrive ? s'écrie-t-elle. À le voir jouer, on dirait un débutant. C'est un véritable cauchemar !

Le cauchemar continue pour les *Bets*. Rapidement, les *Blodgers* mènent par 5 à 0. C'est encore à Noodle de batter, et de nouveau, il échoue.

– *Something is wrong here,* il y a quelque chose qui cloche, fait remarquer Candy. Depuis quand Jack batte-t-il la balle...

--------QUESTION--------
Qu'est-ce que Candy a remarqué ?

UN SOUPÇON

Candy est perplexe. Pourquoi Jack Noodle s'obstine-t-il à frapper la balle de l'autre main ? S'il continue ainsi, les *NY Bets* n'ont aucune chance de gagner le championnat ! Et, effectivement, ce qui devait arriver arrive. Le lendemain, le jeu de Noodle, toujours aussi gauche, signe la défaite des *Bets*. Les *LA Blodgers* jubilent et fêtent bruyamment leur victoire.

Candy est atterrée. Comment expliquer les contre-performances de la vedette des *Bets* ? Edgar a bien une petite idée – ou plutôt un gros soupçon.

– Et si Noodle avait fait exprès de jouer comme un manche ? Suppose qu'il est de mèche avec les *Blodgers* et se fait payer par eux.

Candy bondit, indignée. Jamais Jack Noodle ne ferait une chose pareille !

– *Let's go and see Joe Kerr!* dit-elle en entraînant Edgar et Amandine avec elle vers le bureau du président des *NY Bets*.

L'ambiance est lourde dans le bureau où l'on rumine l'échec. Candy présente les deux détectives, puis elle parle à Kerr des soupçons d'Edgar. Le président écoute. Finalement, il lève les bras au ciel.

– *I'm sorry, Edgar, but there's no proof,* soupire-t-il.

Pas de preuve ? Eh bien, les preuves, Amandine et lui les trouveront !

– *We'll find the proof, Joe, take my word for it.*

Edgar lui donne sa parole. Amandine reste silencieuse. Quelque chose lui dit que quelqu'un écoute la conversation en secret.

QUESTION

Qu'est-ce qui prouve qu'une oreille indiscrète se trouve à proximité ?

ÇA SE DÉRÈGLE MÉCHAMMENT !

Joe Kerr repousse son fauteuil et se précipite vers la porte.

– *Follow me!* dit-il à ses interlocuteurs en les invitant à le suivre.

Il frappe à la porte du vestiaire de Jack Noodle et y entre derechef. Noodle, toujours dans sa tenue de joueur, manque de s'étouffer avec le cornichon dans lequel il vient de mordre. Il nie farouchement avoir écouté la conversation. Quant à sa mauvaise performance sur le terrain, il la balaye d'un revers de la main.

 – *There are good days and there are bad days, too,* grommelle-t-il pour toute excuse.

Il y a des bons jours et des mauvais aussi ? Le président des *NY Bets* n'en croit pas ses oreilles. Jack Noodle, ce garçon prodigieux que lui, Joe, a lancé vers une grande carrière, ce joueur réputé pour sa droiture, son *fair play*, comment peut-il tenir ce genre de propos ? Kerr est écœuré. Sans plus de façons, il accuse Noodle d'avoir trahi son club. Noodle s'empourpre et s'emporte, feignant de ne pas comprendre :

– *I don't know what you mean. Go ahead! Show me the proof!*

Candy traduit que Noodle demande qu'on lui montre des preuves.

– *And now get out of here!* s'écrie Noodle en leur montrant la porte.

Une fois dehors, Amandine demande à Candy la signification des cinq règles d'une vie saine que Jack Noodle a affichées dans son vestiaire.

Candy explique, Amandine réfléchit, puis elle conclut :

– À ce que j'ai vu, Noodle en a au moins transgressé trois.

─────────── **QUESTION** ───────────
Quelles sont les règles que Noodle ne respecte pas ?

. . . .

4

EDGAR GARDIEN ?

Candy, Edgar et Amandine sont unanimes, le comportement de Noodle est plus que suspect. Ils décident de surveiller ses faits et gestes. Ainsi, quand Noodle sort enfin du vestiaire et monte dans sa luxueuse limousine, ils le suivent en voiture jusqu'à son domicile. La star des *Bets* habite dans un immeuble de la 5ᵉ avenue, l'une des avenues les plus chic de Manhattan. Noodle franchit la porte du n° 71 sans même répondre au salut du gardien. Candy fait les yeux ronds, le gardien, elle le connaît ! C'est Ronny Flair, son ex-fiancé. Comme quoi, le hasard fait bien les choses. Edgar est en pleine réflexion, Amandine devine ses pensées.
– Tu voudrais voir l'appartement de Jack Noodle de près, pas vrai ?
– Rien de plus simple, glousse Candy. Tu te déguises en Ronny Flair.
– Tu veux rire ? demande Edgar. Ton Flair, je l'ai à peine vu.
– Mon Flair, je le connais bien et mieux que ça ! Il y a un loueur de costumes près d'ici où on trouvera tout ce qu'il te faut pour te déguiser en gardien. *Let's go!*

─────── QUESTION ───────

D'après la description de Candy, quels accessoires Edgar doit-il choisir ?

UN APPEL QUI APPELLE À L'ACTION

Muni d'une caisse à outils et de trois phrases apprises par cœur, Edgar, alias Ronny Flair, sonne à la porte de l'appartement de Jack Noodle.
– *Good evening, sir! Sorry to disturb you. May I check the watertaps?* murmure le faux gardien à travers sa grosse moustache postiche.
– *Come in!* dit Noodle qui a l'air d'être de mauvais poil.
Edgar sourit sous sa moustache. Noodle a avalé le morceau ! En faisant semblant de vérifier les robinets d'eau, Edgar passe du séjour à la salle de

SEVEUNNE DEURDI
GRAINDE SINTROUL
STAICHENE DAOUNTE
FORGUETTE TOU
BRINNEGUE ZE
MONNAIE !

bains, puis il repasse au séjour pour se rendre à la cuisine – en sifflotant allègrement pour couvrir le bruit du déclencheur de l'appareil photo de son portable. Ne sachant pas exactement ce qu'il recherche, Edgar emmagasine secrètement des détails de l'appartement. Il espère, en les regardant plus tard avec Amandine, y découvrir des indices qui lui échappent pour le moment. Noodle ne fait pas attention à lui, il tourne autour du téléphone. À la première sonnerie, il se précipite. Edgar sort son calepin, prêt à prendre des notes. Or, Noodle parle très vite, et Edgar a du mal à comprendre. Il note ce qu'il entend, tant pis pour l'orthographe. Quand il montre ses notes à Candy, elle les retranscrit dans un anglais correct :

– *OK*. *Seven thirty, Grand Central Station. Don't forget to bring the money!*

QUESTION

Sur quoi Noodle et son correspondant inconnu se sont-ils mis d'accord ?

. . . .

ONZE SUR DIX-HUIT

Les trois amis décident de se partager le travail et de se retrouver ensuite dans le hall de l'immeuble de Jack Noodle. Tandis qu'Edgar et Amandine se mettent en route pour Grand Central Station, la grande gare centrale de Manhattan, Candy rend le déguisement d'Edgar à la boutique de location. Sur le chemin, elle découvre un *One Hour Photo Service*. Elle en profite pour donner à développer les photos prises par Edgar. Quand Candy revient les chercher une heure plus tard, l'employée la reçoit en lui présentant ses excuses. Elle est très embêtée.

– *I'm terribly sorry. Your pictures are ready, but unfortunately they are mixed up with others.*

Mauvaise surprise ! Les photos d'Edgar sont mélangées à d'autres. Comment les distinguer ? Candy réfléchit. Après être redescendu de l'appartement de Jack Noodle, Edgar avait raconté brièvement ce qu'il avait photographié. Candy se souvient et explique à l'employée :

– *There was a sofa, a camera, a pair of shoes, a jar of pickles, two baseballs, a watch, sunglasses, two toothbrushes, a pair of scissors, gloves and a telephone.*

─────────── QUESTION ───────────

Quelles sont les onze photos qu'Edgar a prises chez Jack Noodle ?

AFFAIRE À SUIVRE

Grand Central Station, 19 heures 30. La salle des pas perdus grouille de voyageurs. Les uns se précipitent vers les quais, les autres, qui viennent d'arriver, vers les sorties de la gare ou l'entrée du *subway*. Les haut-parleurs crachent des annonces incompréhensibles pour Amandine et Edgar. Bousculés par la foule, nos détectives ne se laissent pas dérouter pour autant. Ils ont l'expérience des filatures et la patience nécessaire pour les mener à bien, mais y réussiront-ils encore cette fois-ci ?

– Le voilà ! dit Amandine en apercevant Noodle dans la cohue.
Edgar suit son regard. Tous deux bondissent pour se mettre à ses trousses.
Par malchance, une équipe de basketteurs courant après le train pour
Chicago leur barre le chemin, Edgar reçoit en pleine figure le sac de
voyage de l'un des joueurs. Il s'écroule en gémissant.
– Ne t'en fais pas, dit Amandine qui n'a pas lâché Noodle des yeux.
Il vient de rencontrer son correspondant. L'affaire est dans le sac.

―――――――――――― QUESTION ――――――――――――

Où est Noodle ? Où est l'homme avec lequel il avait rendez-vous ?

. . . .

UN, DEUX, TROIS ET VOILÀ...

Inutile de suivre Noodle. Selon toute vraisemblance, la vedette des *Bets* rentrera directement à la maison pour mettre son magot à l'abri. En revanche, il s'agit de ne pas perdre de vue l'homme que Noodle vient de rencontrer. Qui est-il et qu'est-ce qu'il a manigancé avec le joueur ?

L'inconnu prend la sortie qui donne sur la 42e rue. Il hèle un taxi. Edgar et Amandine en font autant. Comment demander au chauffeur de suivre la voiture devant eux ? Edgar se lance courageusement :

– *Please follow the car in front of us!*

Le taxi démarre et suit l'autre comme demandé.

– Tu as vu ça, Amandine ? jubile Edgar, j'ai fait des progrès.

– Vous êtes en vacances ici ? s'enquiert alors gentiment le chauffeur. Je suis originaire d'Haïti, et vous, vous venez d'où ?

Ils se mettent à discuter tous les trois. Le premier taxi s'arrête enfin devant un bar en haut de Broadway. L'homme aux lunettes y entre.

– On est arrivés, dit Edgar.

– Vous allez au *Blodgers Bar* ? s'étonne le chauffeur. Il n'y a que des fans du club là-dedans, vous verrez. Moi, pour tout vous dire, je préfère les *Bets*.

Dans le bar, l'inconnu vient de décrocher le téléphone. Edgar et Amandine passent à côté de lui. Ils scrutent la salle. Soudain, Edgar sursaute.

– Notre homme est loin d'être un simple fan des *Blodgers* ! glisse-t-il à l'oreille d'Amandine. Je commence à comprendre.

QUESTION

Quels sont les trois indices qui révèlent l'identité de l'homme ?

DE LA POUDRE AUX YEUX

Edgar et Amandine décident de ne pas y aller par quatre chemins. Ils s'approchent de Ted O'Larre qui raccroche aussitôt. Dans leur plus bel anglais, ils lui demandent poliment s'ils peuvent lui poser quelques questions concernant sa rencontre avec Noodle à la gare.

O'Larre n'est pas homme à se laisser démonter facilement. L'explication qu'il fournit aux deux détectives paraît plausible au premier abord. Il dit collectionner tout ce qui tourne autour du base-ball. C'est son hobby. Pour preuve, il ouvre le paquet que Noodle lui a remis à la gare et en retire un gant de base-ball. Celui de Jack Noodle, prétend-il.

Edgar regarde Amandine regardant le gant. Quelque chose semble la troubler. Sans rien laisser paraître, elle se tourne vers le président des Blodgers. Le gant lui a sûrement coûté beaucoup d'argent, n'est-ce pas ?

O'Larre confirme avec le sourire de quelqu'un qui vient de faire une excellente affaire. Oh oui, le gant en question vaut très cher. Bien plus cher encore que ce que lui, O'Larre, l'a payé. Là-dessus, il se dépêche de prendre congé.

À peine la porte s'est-elle refermée derrière lui qu'Amandine éclate :

– Ted O'Larre nous a roulés dans la farine ! Son histoire de collection, c'est du pipeau. Le gant qu'il nous a montré ne peut pas être celui de Jack Noodle. Alors pourquoi l'a-t-il acheté ?

─────────── **QUESTION** ───────────
Qu'est-ce qui prouve que le gant n'appartient pas à la vedette des *Bets*?

76

QUELLE COMÉDIE !

Ted O'Larre et Noodle sont de mèche, plus aucun doute là-dessus ! O'Larre a payé le joueur des *Bets* pour le récompenser de sa mauvaise performance qui a permis aux *Blodgers* de remporter le championnat. Pour le prouver, il faut retrouver l'enveloppe qui doit contenir une jolie somme. Où Noodle est-il allé la cacher ? Probablement chez lui.

Edgar et Amandine retournent à l'immeuble de la 5e avenue où Candy les attend depuis un bon moment. Oui, elle a vu monter le joueur dans l'ascenseur avec une enveloppe sous le bras. Il est près de minuit, trop tard pour poursuivre leurs recherches ce soir. Candy expose son plan pour le lendemain. Avec Pepper dans le rôle vedette !

Neuf heures du matin. Le réceptionniste du 71 enregistre les noms des visiteurs et l'objet de leur visite avant de les autoriser à prendre l'ascenseur.

– Début du spectacle dans cinq minutes ! annonce Candy.

Et effectivement, cinq minutes plus tard, le téléphone sonne à la réception. Un locataire du 47e étage se plaint, un perroquet s'est introduit chez lui. Qu'on vienne immédiatement le débarrasser de la bestiole ! C'est à ce moment précis qu'une femme en pleurs accourt. Quelqu'un aurait-il vu son perroquet ? Le réceptionniste lui indique l'ascenseur :

– *47th floor, appartment 421*, Jack Noodle, la renseigne-t-il.

– *Thank you!* le remercie Candy en feignant d'essuyer ses larmes.

QUESTION

Comment Pepper a-t-il réussi à entrer dans l'appartement ?

CANDY DONNE L'ALERTE !

Candy s'approche de la porte de l'appartement 421. Des bruits de cris et des éclats de voix lui parviennent. Elle sourit et sonne. Mira, la gouvernante de Jack Noodle, lui ouvre. Candy voit Noodle pestant et courant après Pepper qui prend un malin plaisir à le narguer. Le joueur reconnaît Candy pour l'avoir vue dans son vestiaire après le dernier match.

– *It's you again!* C'est encore vous ! s'écrie-t-il hors de lui.

Candy présente ses excuses. Elle se dit une admiratrice de Jack Noodle. Chagrinée par la défaite des *Bets*, elle avait voulu lui déposer un mot de sympathie à la réception quand, soudain, son perroquet s'était envolé.

– *Take your crazy bird back immediately!* hurle Noodle avant de disparaître dans la salle de bains.

Mme Mira est occupée à passer l'aspirateur. À cause d'une mauvaise grippe, elle n'est pas venue depuis une semaine, la poussière en a profité. Où est l'enveloppe ? Candy commence discrètement ses recherches. À l'aide de son talkie-walkie, elle transmet à Edgar et Amandine ce qu'elle voit dans l'appartement.

– Rien de nouveau, soupire Edgar, tout ça, je l'ai vu moi aussi.

Mais tout à coup, la voix de Candy change, elle se met à trembler. C'est à peine si Candy ne crie pas dans le micro.

– Tiens bon ! On arrive ! dit Edgar pendant qu'Amandine demande au réceptionniste d'appeler Jim Spektor de toute urgence.

– *Tell him to come to Jack Noodle's appartment. It's urgent!*

QUESTION

Qu'est-ce qui se passe dans l'appartement de Jack Noodle ?

....

PEPPER SUPERSTAR

Les deux détectives sonnent au 47e étage. La femme de ménage leur ouvre. Elle est blanche comme un linge. Noodle se tient devant l'une des portes de l'appartement dont il défend fermement l'accès. De l'autre côté, quelqu'un ne cesse de frapper désespérément.

– *Open that door immediately!* ordonne l'officier de police Jim Spektor en arrivant sur les lieux.

Noodle s'exécute, la tête basse. Il sort une clé de sa poche et la fait tourner dans la serrure. La porte s'ouvre. Tout le monde en a le souffle coupé. L'homme qui apparaît dans l'embrasure ressemble à Noodle comme une goutte d'eau à une autre !

– *I'm Jack Noodle,* dit-il, *and that's my twin brother Tony who locked me up. Here's the story.*

C'est une sombre histoire que Jack Noodle raconte. Tony et lui sont frères jumeaux. Tony était jaloux du succès de son frère. Pour se venger, il a conclu un marché avec le président des *Blodgers* qui lui a fourni des somnifères pour mettre Jack hors jeu. Tony a pris la place de Jack sur le terrain. C'est un piètre joueur, l'équipe des *Bets* en a fait les frais.

Jack Noodle remercie vivement Candy, Amandine et Edgar et les invite à son prochain match, y compris Pepper bien évidemment !

La police va ouvrir une enquête pour corruption à l'encontre de Ted O'Larre. L'argent reçu par Tony Noodle sera une preuve importante. Pepper vient de repérer l'enveloppe. Tout le monde le félicite.

QUESTION

Où Tony Noodle a-t-il bien pu dissimuler la preuve de son forfait ?

SOLUTIONS

DINGUES DE *DONUTS*

1. Sucrés, les *donuts* !
Les voleurs n'ont pris que les *donuts* sucrés, ils n'ont pas touché aux *donuts* au poivre.

2. Chercheurs d'or
Sur la photo, on voit Bob avec une sucette. Sous la table du fournil se trouve la même.

3. Une histoire de tailles
À gauche, derrière le rideau, sont accrochées deux chemises marquées des initiales de leurs propriétaires : GM et BO.

4. Bob c'est Robert pour sa grand-mère
L'adresse est 87 est 117ᵉ rue. À Manhattan, les rues se coupent à angle droit. À part quelques exceptions, elles ne portent pas de nom comme chez nous mais elles sont désignées par un numéro. Le décompte des rues se fait du sud au nord, celui des avenues d'est en ouest. Pour les rues, on doit préciser si l'adresse se trouve à l'est *(east)* ou à l'ouest *(west)* de la 5ᵉ avenue.

5. Un coup réussi
Avant de partir, Bob et Guy ont rempli la gamelle du chat et ils lui ont laissé de l'eau à boire. Le chat dort bienheureux sous le fauteuil, signe qu'il n'a pas encore faim ni soif.

6. Des lettres qui en disent long
DONUTS est le mot qui manque.

7. Dans la mire du perroquet
Bob et Guy se trouvent dans la voiture en bas à droite.

8. Un message brouillé
Watch out! They are jumping off the roller-coaster, crie Pepper. En effet, Bob et Guy sont en train de sauter de leur voiture pour s'échapper.

9. *Help!*
Amandine et Edgar passent près de l'ours, du seau d'eau, de la cloche, du chien, du lion, du sac qui tombe, du monstre, du marteau, du joueur de trompette et du personnage hurlant. Ils se font piéger dans le réduit en bas à droite.

10. Des étoiles en plein jour
Ils viennent d'apercevoir la camionnette décorée d'étoiles appartenant aux voleurs. Elle est garée à gauche de l'épicerie *(groceries)*.

11. Une grand-mère dans ses petits souliers
Edgar a vu la sucette *(lollipop)* que Pepper tient fièrement dans son bec. LOLLIPOP est aussi le mot de la solution du jeu de lettres.

12. Quand Clara Mail s'en mêle
En apercevant la boîte sur laquelle est écrit PUMPKIN DONUTS, Clara Mail comprend que son petit-fils et Guy sont les voleurs recherchés. Par le plus pur hasard, Amandine a mordu dans le *donut* qui contenait la pièce d'or !

SPY EYE : LA MENACE DE L'ŒIL ESPION

1. Puzzle à Manhattan
Il s'agit de Jerry, Stan, Chuck et Sue.

2. *Trackboy* traquera-t-il *Spy Eye* ?
Les *Digitals* se trouvent à bord de l'*America*.

3. Un bateau louche qui fait mouche
Diamonds & Things sera la prochaine victime de la bande.

4. Tout est dans le détail
La caméra a enregistré des détails des pièces suivantes : 1 : MANAGER, 2 : PACKING ROOM, 3 : CLIENTS, 4 : KITCHEN, 5 : WORKSHOP 1, 6 : WORKSHOP 2, 7 : RECEPTION, 8 : REST ROOMS, 9 : VAULT. Pepper a surpris deux membres des *Digitals* dans la salle du coffre.

5. L'esprit d'escalier
Sue a fait le guet dans le hall de l'immeuble. À l'aide de son portable, elle a averti ses complices avant de prendre l'ascenseur et de les rejoindre sur le toit où l'hélicoptère attendait la bande.

6. À boire et à manger
Parmi les boîtes vides se trouve un carton servant à emporter des hamburgers avec l'adresse du restaurant qui les vend. Son nom, *Joe's Giant Burgers*, figure également sur le gobelet que les *Digitals* ont abandonné sur place.

7. Question d'heure
L'écran du poste de télévision annonce le bulletin d'information de 10 heures du matin *(10 o'clock Morning News)*. L'heure à la télé est toujours exacte.

8. Il ne faut pas forcer sur la couleur
Candy a seulement dit que les trois hommes portaient des cravates. Sue se trahit en parlant de cravates rouges.

9. Du porte à porte
La seule porte que l'on peut ouvrir sans courir de danger est celle qui donne accès à la réserve *(supplies)*. Elle s'ouvre vers l'intérieur et permet d'être bouclée une fois qu'on a pénétré dans le local.

10. Un couvre-chef sans chef
Voici ce que disent les uns et les autres : *Watch out! It's dark in here! Where are they? Hurry, this way! Here is a tunnel! Do you see anything?* Pepper a découvert sur le bureau la casquette à carreaux que Stan portait au restaurant.

11. Surprise, surprise
Archie Maid est content de retrouver son *Spy Eye* sur l'étagère.

12. Edgar et Amandine entendent des voix
Les *Digitals* ne se font plus d'illusions sur leur sort. Voici leurs commentaires : *Police! We're finished!* (Voilà la police ! C'est fini pour nous !) / *It's straight to jail for us!* (On est bons pour la prison !) / *No way to escape, we're done!* (Pas moyen de s'échapper, on est cuits !) / *It's all over. We're trapped.* (C'est terminé. On est piégés).

BALLES PERDUES POUR JACK NOODLE

1. Un batteur qui manque de battant
Selon le magazine, Jack Noodle est "le meilleur droitier du pays". Alors pourquoi Noodle frappe-t-il la balle de la main gauche lors du match ?

2. Un soupçon
La porte est légèrement entrebâillée et quelqu'un tient sa main appuyée sur la poignée.

3. Ça se dérègle méchamment
Parmi les règles de bonne santé affichées sur le mur, il y en a au moins trois que Noodle ne respecte pas : les mégots dans le cendrier prouvent qu'il fume,

la tablette de chocolat entamée qu'il mange des sucreries, et le grand bocal de cornichons trahit son faible pour les *pickles*.

4. Edgar gardien ?
Pour ressembler à Ronny Flair, Edgar a besoin des éléments suivants : 4, 14, 22, 28, 39, 44.

5. Un appel qui appelle à l'action
Noodle et l'inconnu vont se rencontrer à sept heures trente à Grand Central Station. Noodle demande à l'autre de ne pas oublier d'apporter l'argent.

6. Onze sur dix-huit
Edgar a pris les photos suivantes : J, R, B, P, N, H, G, E, D, I, L.

7. Affaire à suivre
Sur l'image de gauche, Noodle arrive de la droite. Il porte un paquet. À l'arrière-plan à gauche, un homme à lunettes, portant une enveloppe sous le bras, se dirige vers lui. Sur l'image de droite, le joueur des *Bets* a récupéré l'enveloppe tandis que l'inconnu repart avec le paquet.

8. Un, deux, trois et voilà...
L'homme se présente au téléphone par son prénom : Ted. Parmi les quatre photos au mur, il y a la sienne : Ted O'Larre. Sur l'affiche est indiquée sa fonction au club des *Blodgers* : il en est le directeur sportif.

9. De la poudre aux yeux
C'est un gant pour un gaucher, or Jack Noodle est droitier.

10. Quelle comédie !
Sur la liste des visiteurs, le réceptionniste a noté à 9 heures l'arrivée de Mme Mira, la gouvernante de Jack Noodle. Pepper s'est glissé dans son cabas et il est monté avec elle.

11. Candy donne l'alerte !
Candy entend cogner contre l'une des portes de l'appartement. Quelqu'un est enfermé dans la pièce.

12. Pepper superstar
Pepper a repéré l'enveloppe dans le placard. Elle dépasse de la poche d'une veste.

GLOSSAIRE
TRADUCTION ANGLAIS-FRANÇAIS

Welcome to New York

Hi! : Salut !
I'm... (= I am) : Je suis...
Welcome to... : Bienvenue à...
Nice to meet you :
Content de vous rencontrer
Good luck! : Bonne chance !

DINGUES DE *DONUTS*

Sucrés, les *donuts*!

best donuts in town :
les meilleurs donuts de la ville
today's specials : spécialités du jour
raisin : raisin
orange : orange
cream : crème
toasted : grillé
apple : pomme
coconut : noix de coco
plain : nature
chocolate : chocolat
almond : amande
vanilla : vanille
custard : crème anglaise
sprinkles : saupoudrés de sucre
cinnamon : cannelle
maple : sirop d'érable
lemon : citron
pepper : poivre
emergency exit : sortie de secours

Chercheurs d'or

please : s'il vous plaît
treasure hunt : chasse au trésor
Find the golden coin :
Trouvez la pièce d'or
If you do, you keep it :
Si vous la trouvez, vous la gardez
flour : farine
sugar : sucre
milk : lait

butter : beurre
yeast : levure
nuts : noix
trash : déchets
baker : four

Une histoire de tailles

street : rue
laundry : laverie, blanchisserie
Chinese : chinois
one : un / une
the other : l'autre
tall : grand, de haute taille
skinny : maigre
small : petit
plump : dodu
left door : porte de gauche
right door : porte de droite
large : grand
no entrance : entrée interdite

Bob, c'est Robert pour sa grand-mère

you mean : vous voulez dire
my grandson : mon petit-fils
Come in! : Entrez !
Sit down! : Asseyez-vous !
boy(s) : garçon(s)
What's their address? : Quelle est leur adresse ?
two : deux
three : trois
four : quatre
five : cinq
six : six
seven : sept
eight : huit
nine : neuf
ten : dix
screws : vis
north : nord
east : est
south : sud
west : ouest

Un coup réussi

That's their garage over there on the left but I think it's closed : Voici leur garage là-bas à gauche mais je pense qu'il est fermé
This is very interesting : Voilà qui est très intéressant
nails : clous
gallons : gallons (3,785 l)
gasoline : essence
up : haut
tools : outils
oil : huile
pears : poires
new : nouveau

Des lettres qui en disent long

These are the last boxes : Voici les dernières boîtes
left lane : file de gauche
right lane : file de droite
all natural : bio
There's a space over there : Il y a une place là-bas
ice-cream : glaces
fresh : frais
three for two : trois pour (le prix de) deux
letter : lettre
No, this isn't the next letter : Non, ce n'est pas la lettre suivante

Dans la mire du perroquet

Are those Pumpkin donuts? : Ce sont des *donuts* de chez Pumpkin ?
by any chance : par hasard
What do you mean? : Qu'est-ce que vous voulez dire ?
I don't understand : Je ne comprends pas
I'm feeling sick : J'ai mal au cœur
Mum, where are you? : Maman, où es-tu ?
Come on up! : Montez !
Sit down please! : Assieds-toi !

This is fun! : C'est super !
Look, there's a parrot! : Regarde, il y a un perroquet !
Hold on tight! : Accroche-toi bien !

Un message brouillé

Excuse me! : Excusez-moi !
Sorry! : Pardon !
roller-coaster : montagnes russes
What are they doing? : Qu'est-ce qu'ils sont en train de faire ?
They're escaping : Ils sont en train de s'échapper
Watch out! : Attention !
They are jumping off : Ils sont en train de sauter (de)

Help!

Help! : Au secours !
map : plan
start : départ
finish : arrivée
down : bas
A bear! : Un ours !
A falling bag! : Un sac qui tombe !
What a monster! : Quel monstre !
Oh my ears! : Aïe, mes oreilles !

Des étoiles en plein jour

What are you doing here? : Qu'est-ce que vous faites ici ?
My name is… : Mon nom est…
and this is… : et voici…
What is your dream? : À quoi rêvez-vous ?
Where are you going? : Où allez-vous ?
books : livres
Save up to $ 100 : économisez jusqu'à 100 dollars
men's fashion : mode pour hommes
bikes : vélos
one way : sens unique

no parking any time :
stationnement interdit 24 h sur 24
It's your choice : C'est votre choix
groceries : épicerie

Une grand-mère dans ses petits souliers
Is there something wrong with my grandson? :
Il y a un problème avec mon petit-fils ?
house : maison
cloud : nuage
apple : pomme
spoon : cuiller
shoes : chaussures
knife : couteau

Quand Clara Mail s'en mêle
Goodbye! : Au revoir !
Open the door! : Ouvre la porte !
red : rouge
yellow : jaune
blue : bleu
black : noir
white : blanc
green : vert

SPY EYE : LA MENACE DE L'ŒIL ESPION

Puzzle à Manhattan
They've taken my suitcase :
Ils ont pris ma valise
He has a very big nose : Il a un très gros nez
He has a moustache : Il a une moustache
He has a tooth missing :
Il lui manque une dent
She has long black hair :
Elle a de longs cheveux noirs
He has no hair : Il est chauve
He wears round glasses :
Il porte des lunettes rondes
He has a long pointy nose :
Il a un long nez pointu
He has a beard : Il a une barbe

She wears earrings :
Elle porte des boucles d'oreilles
He has a tiny nose : Il a un tout petit nez
She wears sunglasses :
Elle porte des lunettes de soleil
He has wild hair : Il est hirsute

Trackboy traquera-t-il *Spy Eye* ?
I don't care about diamonds :
Je me moque des diamants
I want my Spy Eye back :
Je veux récupérer mon *Spy Eye*
here : ici
there : là

Un bateau louche qui fait mouche
Are you getting a signal? :
Est-ce que vous recevez un signal ?
Yes, they must be in there :
Oui, ils doivent être là-dedans
We're too late : Nous arrivons trop tard
There's nothing left in the safe : Il ne reste
rien dans le coffre
This is just a test : Ceci est juste un test
We love diamonds :
Nous aimons les diamants
See you later : À bientôt
travel report : livre de bord
deliveries : livraison
for May 3 : pour le 3 mai
2 containers of silk : 2 conteneurs de soie
perfume : parfum
watches : montres

Tout est dans le détail
things : choses
Bring the parrot with you! :
Amenez le perroquet !
That's for you, my boy :
C'est pour toi, mon garçon
manager : directeur
workshop : atelier

reception : accueil
hall : entrée
elevator : ascenseur
vault : chambre forte
kitchen : cuisine
packing room : salle de conditionnement
rest rooms : toilettes
a plant in the corner : une plante dans le coin
a box on the table : une boîte sur la table
a big sofa : un grand canapé
a table with chairs : une table avec des chaises
a trash can : une poubelle
a work table : une table de travail
the front desk : le bureau d'accueil
a tile floor : un sol carrelé
There they are! : Les voilà !

L'esprit d'escalier
Good morning! : Bonjour !
(se dit le matin)
gentlemen : messieurs
May I ask your names, please? :
Puis-je demander vos noms, s'il vous plaît ?
I'm sorry but the line is busy : Je regrette
mais la ligne est occupée
Too late again! : Encore trop tard !
They've escaped : Ils se sont échappés
We have to go to the 38th floor :
Nous devons aller au 38ᵉ étage
Not so fast! : Pas si vite !
Missed again! : Encore raté !
These crooks are real professionals! :
Ces escrocs sont de vrais professionnels !

À boire et à manger
What's the matter? : Qu'est-ce qui se passe ?
Look at that! : Regardez-moi ça !
golden rings : bagues en or
jewelry : bijoux
Swiss made : fabriqué en Suisse
nice things : belles choses
brooches : broches

watches : montres
wedding rings : alliances
lady's rings : bagues pour dames
giant pearls : perles géantes

Question d'heure
I don't know : Je ne sais pas
I'm new here : Je suis nouveau ici
Excellent idea! : Excellente idée !
morning news : infos du matin

Il ne faut pas forcer sur la couleur
Where is Sue? : Où est Sue ?
Can you help me? : Pouvez-vous m'aider ?
I'm looking for three men :
Je cherche trois hommes
I can't help you : Je ne peux pas vous aider
I haven't seen any men with red ties : Je n'ai
pas vu d'hommes avec des cravates rouges
I'm in a hurry : Je suis pressée
toothbrushes : brosses à dents
Need a vacation? : Besoin de vacances ?
travel : voyage
vegetables : fruits et légumes
leek : poireau
lettuce : laitue
bananas : bananes
annual street fair : fête annuelle des rues
shoes : chaussures
market : marché
Are these your friends? : C'est eux, vos amis ?
the movie : le film
kids wear : vêtements pour enfants
Is she wearing a wig? :
Est-ce qu'elle porte une perruque ?

Du porte à porte
I've lost my Trackboy : J'ai perdu mon *Trackboy*
Danger! Do not enter! :
Danger ! Ne pas entrer !
High voltage! :
Haute tension !

supplies : réserve, fournitures
Keep out! Burst pipe! :
Ne pas entrer ! Tuyau éclaté !
No admittance : Accès interdit
No entry, mortal danger :
Entrée interdite, danger mortel

Un couvre-chef sans chef
Watch out! : Attention !
It's dark in here! : Il fait noir ici !
Where are they? : Où sont-ils ?
Hurry, this way! : Dépêchez-vous, par ici !
Here is a tunnel! : Voici un tunnel !
Do you see anything? :
Voyez-vous quelque chose ?
Nobody but the light is on : Personne mais
la lumière est allumée
Do you see what I see? :
Voyez-vous ce que je vois ?
Men at work : Travaux
coffee : café

Surprise, surprise
a lot of : beaucoup de
valuable watches : montres de qualité
Come on! : Venez !
Let's get them! : Attrapons-les !
Sunday : dimanche
Monday : lundi
Tuesday : mardi
Wednesday : mercredi
Thursday : jeudi
Friday : vendredi
Saturday : samedi
day off : jour de repos
dentist : dentist
coin museum : musée de la Monnaie
call mom : appeler maman

Edgar et Amandine entendent des voix
There they are! : Les voilà !

before it's too late :
avant qu'il ne soit trop tard
What's going on? : Qu'est-ce qui se passe ?
It's hot in here! : Il fait chaud ici !
Why don't they open the doors? :
Pourquoi n'ouvrent-ils pas les portes ?
Police! We're finished! :
La police ! Nous sommes faits !
Where are we? : Où sommes-nous ?
There must be a problem :
Il doit y avoir un problème
It's straight to jail for us! :
On est bons pour la prison !
I'm going to be late : Je vais être en retard
I hate the subway! : Je déteste le métro !
Could you please get off my foot? :
Pourriez-vous, s'il vous plaît, descendre
de mon pied ?
No way to escape :
Pas moyen de nous échapper
We're done! : Nous sommes cuits !
I have to call the office! :
Je dois appeler le bureau !
What's the problem? : Quel est le problème ?
Pardon me what time is it? : Excusez-moi
quelle heure est-il ?
Where's my bag? : Où est mon sac ?
It's all over : Tout est fini
We're trapped : Nous sommes piégés

BALLES PERDUES POUR JACK NOODLE

Un batteur qui manque de battant
Something is wrong here :
Quelque chose ne tourne pas rond ici
The best righthander in the country :
le meilleur droitier du pays
game : jeu

Un soupçon
You should take a vacation :
Tu devrais prendre des vacances

Let's go and see Joe Kerr! :
Allons voir Joe Kerr !
Do not disturb! : Ne pas déranger !
the lefthander : le gaucher
I'm sorry, but there's no proof :
Je regrette, mais il n'y a pas de preuve
We'll find the proof, take my word for it :
Nous trouverons les preuves, vous pouvez
me croire sur parole
How could you help us? : Comment
pourriez-vous nous aider ?

Ça se dérègle méchamment

Follow me! : Suivez-moi !
There are good days and there are bad days too :
Il y a des bons jours et il y a des mauvais
jours aussi.
I don't know what you mean :
Je ne sais pas ce que vous voulez dire
Go ahead! : Allez-y !
Show me the proof! :
Montrez-moi la preuve !
And now get out of here! :
Et maintenant sortez d'ici !
Five rules to stay healthy :
Cinq règles pour rester en bonne santé
I go to bed early : Je vais au lit de bonne heure
I don't smoke : Je ne fume pas
I don't eat pickles nor sweets : Je ne mange
pas de cornichons ni de sucreries
I call my mother every day :
Je téléphone à ma mère tous les jours
I read books : Je lis des livres

Edgar gardien ?

Let's go! : Allons-y !
Costume rental : location de costumes
ears : oreilles
mustaches (US) : moustaches
noses : nez
Ronny has thick black hair :
Ronny a des cheveux noirs épais

He wears a striped cap :
Il porte une casquette à rayures
He has a huge black mustache :
Il a une énorme moustache noire
He wears small round sunglasses :
Il porte des petites lunettes de soleil rondes
He wears an earring :
Il porte une boucle d'oreille
His nose is enormous : Son nez est énorme

Un appel qui appelle à l'action

Good evening, sir! :
Bonsoir, monsieur !
Sorry to disturb you :
Désolé de vous déranger
May I check the watertaps? :
Puis-je vérifier les robinets d'eau ?
seven thirty : sept heures et demie
station : gare
Don't forget to bring the money! :
N'oubliez pas d'apporter l'argent !
juice : jus

Onze sur dix-huit

I'm terribly sorry :
Je suis terriblement désolée
*Your pictures are ready but unfortunately
they're mixed up with others* : Vos photos
sont prêtes mais malheureusement
elles sont mélangées à d'autres
There was : Il y avait
a sofa : un canapé
a camera : un appareil photo
a pair of shoes : une paire de chaussures
a jar of pickles : un bocal de cornichons
two baseballs : deux balles de base-ball
a watch : une montre
sunglasses : des lunettes de soleil
two toothbrushes : deux brosses à dents
a pair of scissors : une paire de ciseaux
gloves : des gants
a telephone : un téléphone

Affaire à suivre

The train to Boston is departing in five minutes :
Le train pour Boston partira dans cinq
minutes
Last call for passengers leaving for Washington :
Dernier appel aux passagers partant pour
Washington
The train from Miami is delayed : Le train en
provenance de Miami aura du retard
*Passengers leaving for Chicago please board the
train* : Les passagers partant pour Chicago
sont invités à monter à bord
The train from Montreal is arriving on track 3 :
Le train en provenance de Montréal entre
en gare voie 3
For Pittsburg please change trains :
Pour Pittsburg veuillez changer de train

Un, deux, trois et voilà...

Please follow the car in front of us! : S'il vous
plaît, suivez la voiture devant nous !
private : privé
What would you like to drink? :
Que désirez-vous boire ?
CEO (Chief Executive Officer) :
directeur exécutif
coach : entraîneur
manager : directeur sportif
personnel : service du personnel
scout : recruteur
attorney : avocat
Adm. : administration
The drinks are ready! :
Les boissons sont prêtes !
Hello Joe. This is Ted... : Salut, Joe. C'est Ted...
Cheers! : Santé !
This is good, isn't it? : C'est bon, n'est-ce pas ?
No lemonade tonight! :
Pas de limonade ce soir !
To the Blodgers! : Aux *Blodgers*!
For me it'll be a glass of milk :
Pour moi ce sera un verre de lait

reserved : réservé

De la poudre aux yeux

*Mister O'Larre, may we ask you some
questions?* : Monsieur O'Larre, pourrions-nous
vous poser quelques questions ?
*Why did you meet Jack Noodle at Grand Central
Station?* : Pourquoi avez-vous rencontré Jack
Noodle à Grand Central Station ?
I collect all kind of baseball stuff :
Je collectionne tout ce qui est lié au baseball
It's a hobby of mine :
C'est l'un de mes hobbies
Jack Noodle sold me this glove :
Jack Noodle m'a vendu ce gant
*You gave him a lot of money for this glove,
right?* : Vous lui avez donné beaucoup
d'argent pour ce gant, n'est-ce pas ?
Yes, but it's worth a lot of money :
Oui, mais il vaut très cher
Much more than what I payed for it :
Bien plus que je ne l'ai payé

Quelle comédie !

garbage : (enlèvement des) ordures
plumber : plombier
Miss Fry picks up laundry :
Mlle Fry vient chercher le linge
dogwalker for Mrs Miller :
promeneur de chien pour Mme Miller
delivery : livraison
ambulance : ambulance
housekeeper : gouvernante
janitor : gardien

Candy donne l'alerte !

Take your crazy bird back immediately! :
Reprenez votre oiseau fou immédiatement !
Tell him to come to Jack Noodle's appartement! :
Dites-lui de venir à l'appartement de Jack
Noodle !
It's urgent! : C'est urgent !

I'm in the living-room : Je suis dans le salon
Here we have a trash basket :
Ici il y a une poubelle
There's a baseball game on TV :
Il y a un match de base-ball à la télé
Here is a black piano : Voilà un piano noir
The envelope must be somewhere :
L'enveloppe doit être quelque part
I have to be careful : Je dois être prudente
Mrs Mira is watching me :
Mme Mira m'observe
Jack is heading towards a door :
Jack se dirige vers une porte
He looks very nervous :
Il a l'air très nerveux
Someone is banging at the door! :
Quelqu'un cogne contre la porte !
Heavens, someone is locked up in there! :
Grands dieux, quelqu'un est enfermé
là-dedans !

Pepper superstar
That's my twin brother Tony who locked me up :
Voici mon frère jumeau Tony qui m'a
enfermé
Here's the story : Voici l'histoire

Reproduit et achevé d'imprimer
en mars 2008
par l'imprimerie Aubin
à Poitiers
pour le compte des éditions
ACTES SUD
Le Méjan
Place Nina-Berberova
13200 Arles

Dépôt légal
1re édition : avril 2008
N° impr. 72 007
(Imprimé en France)